GWALCH

Tafodau Symudol

Cerddi

Myrddin ap Dafydd

...niau
...D1 5LD
.k/libraries

Gwasg Carreg Gwalch

Argraffiad cyntaf: 2012
© cerddi: Myrddin ap Dafydd 2012
© darluniau: Eric Heyman 2012

Rhif Llyfr Safonol Rhyngwladol:
978-1-84527-385-9

Mae'r cyhoeddwyr yn cydnabod cefnogaeth ariannol
Cyngor Llyfrau Cymru

Dylunio: Elgan Griffiths

Cyhoeddwyd gan Wasg Carreg Gwalch,
12 Iard yr Orsaf, Llanrwst, Dyffryn Conwy, Cymru LL26 0EH.
Ffôn: 01492 642031
Ffacs: 01492 642502
e-bost: llyfrau@carreg-gwalch.com
lle ar y we: www.carreg-gwalch.com

Argraffwyd a chyhoeddwyd yng Nghymru

Cynnwys

Tafodau symudol

Helô?
Gesia be?
Dwi wedi cael plastic tw-tôn
am fy ffôn –
fy ffôn-ar-y-lôn.
Da 'te?

Helô?
Diolch am y CD sacsoffôn.
Ti isio rhannu Toblerôn?
Wela'i di wrth giât lôn.
Ta-ra!

Helô?
Sgen ti rif Megan Fôn?
Mae hithau wedi cael ffôn –
dyna ydi'r sôn ar y lôn.
Da 'te?

Helô?
Sssh!
Prawf Daearyddiaeth.
Lle mae afon Rhône?
Rho ganiad yn ôl
ar fy ffôn-ar-y-lôn.
Brysia!

Helô?
Newydd gael caniad gan Joan
ar y ffôn o Barcelona.
Mae hi'n binc fel king prôn.
Bechod 'te?

Helô?
Mae Siân sy'n mynd efo Siôn
i lawr i saith stôn . . .
Dyna ydi'r sôn ar y ffôn.
Oeddat ti'n gwybod hynny?

Helô?
Mae 'na rywbeth yn bod efo tôn
y blîp ar fy ffôn.
Ydi o i'w wneud efo'r twll yn yr osôn?
Ti'n meddwl?

Helô?
Mae Bygsi Malôn
newydd ddweud dros y megaffôn
y bydd yr ysgol yfory
yn ffôn-ar-y-lôn-ffri-sôn.
Fedar o ddim!

Helô?
Gesia be?
Mae Dad wedi cael bil fy ffôn-ar-y-lôn.
Mae o gymaint â sir Fôn!
Be 'na i?

Chwaer fach newydd

Pen bach aur
Wyneb bach llon
Llygaid bach glas
Ceg fach gron
Bys bach perffaith
Clust fach dwt
Bol bach llyfn
Trwyn bach smwt
Gên fach daclus
Tafod fach binc
A sŵn MAWR MAWR
A methu cysgu winc.

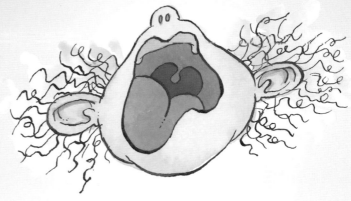

Taith natur

'Dan ni'n mynd ar daith,
Nid trip chwaith.
'Dan ni'n cychwyn am saith:
Taith natur.

Mae Miss Daileila yn cerdded yn syth:
"Edrychwch! Wel, tawn i byth!
Alarch ar ei nyth!"

Rhyw wyneb fel sach
Sydd gennym ni'r rhai bach.
Rhyw wyneb sy'n dweud:
"Gwell gen i fod lle dwi'n byw
Yn cnoi Coco Pops a gwylio *Cyw*."

Ymlaen, drwy eithin,
I gae cyffredin
Llawn cloddiau a brigau
A gwreiddiau a thyllau.

Yma y caiff Miss Daileila
Dipyn o fflipsen:
"Bobol bach y byd a'r betws,
Twll cwningen!"

"Twll," adleisiodd Twm Tecst o dan ei wynt,
Heb gael signal ar ei ffôn ddau gan punt.
Ymlaen, ond oedi sydyn;
Llaw dros glust a'i mystyn,
A bys ar wefus wedyn.
Miss Daileila yn ei chwrcwd
O dan y llwyni ac yn sibrwd:
"Gwrandewch ar y gân!
Pwy sy'n nabod yr adar mân?"

Mae Einir Eipod yn chwarae â'i chlustiau
A rhoi nòd.
"Sod! Be sy'n bod ar fy iPod, dden?
Mae'n swnio'n od!"

"Na, Einir," medd Miss. "Nid pioden.
Dyna felyslais y fwyalchen."

Ar lethrau'r cwm, mae'n tynnu'n sylw
At glychau'r gog o dan y bedw,
"Ac edrychwch i fyny'n uchel,
Adenydd llydan yn dal yr heulwen,
Aderyn melyn prin yn troelli . . .
Rhaid ei Gwglo er mwyn ei enwi.
Lle mae fy . . . O! Fy Mlacberri!
Mae'n rhaid fy mod i wedi'i golli!"
Yn ôl â ni i chwilio'r caeau,
Dros bomprenni, tan ganghennau,
Chwilio'r meysydd botanegol
Am y teclyn technolegol.

Aeth Miss i chwifio coes ei ffon
Gan chwalu chwyn bach newydd sbon
A threfnu tasgau i bawb, gan weiddi,
Nes bod yr adar yn distewi.
Ddwyawr wedyn, ar ôl yr holl ffys,
Mi gafwyd y ffôn ar sêt y bỳs.

Y newyddion, un bore Iau . . .

*Cwynai doctor ifanc
am fyd y meddygon iau,
yr oriau hirion,
y cyflog isel . . .*

A meddyliais, tybed a yw hyn yn wir?
A yw meddygon iau yn cael eu trin yn wael
o'u cymharu,
â doctoriaid arennau,
nyrsys calonnau,
llawfeddygon ymennydd,
arbenigwyr llygaid
neu hyd yn oed
filwyr traed,
tynwyr tafodau
a phryfed clustiau?

Dillad haf

Mae'n braf ac yn amser dillad haf.
Ffarwél i'r menig a'r cotiau blewog,
y capiau clustiau a'r sgidiau gwlanog.

"Mam, lle mae 'nghrysau-T
a 'nhrowsus cwta i?"

"Mam, lle mae fy ffrog haf?"

"Mam, brysia, mae'n braf."

Ar silff ucha'r cwpwrdd dillad
mae clamp o gês
ac yn hwn y bydd Mam yn tyrchu
pan ddaw hi'n wres.
Cadwyd ynddo ar ôl eu smwddio
y crysau-dim-breichiau a'r trowsusau-dim-coesau,
dilladach bob lliwiau
a chrocs a sandalau.

12

"Dyma eich dillad am bum lleuad,"
medd Mam, a heulwen yn ei siarad.
"O, mae'n hyfryd eu gweld nhw eto –
mi gawn ni haf i'w gofio, gobeithio.
Dydi'r dillad ddim mymryn gwaeth,
yn barod ichi fynd i'r traeth.
Waeth heb na llusgo Dad bach, druan,
yn ôl i siopau'r dre mor fuan.
Y cotwm heb dreulio,
y lliwiau heb gilio –
dewch i'w gwisgo!"

Y fath hapusrwydd!
Ond mae rhywbeth wedi digwydd . . .
Mae'r dillad oedd yn llawn llacrwydd,
diniweidrwydd a sioncrwydd
erbyn hyn
yn dynn.

"Mam, 'dan ni'n edrych fel gorilas
mewn pyjamas pilipalas."
Dydi crysau-dim-breichiau a'r trowsusau-dim-coesau
a phethau fel hynny
(yn wahanol i'r merched a'r meibion sydd gan oedolion)
ddim yn tyfu!

Gwenu wrth sgwennu

Sawl 'n' wrth sgwennu 'sgwennu'?
Un 'n' yn 'fyny'; dwy yn 'synnu'.
Mae'n anodd gwenu wrth sgwennu.

"Fy nghyfrifiadur i," medd Miss. "Nid 'yn gyfrifiadur i'."
"Ei phaced creision," medd Miss. "Nid 'ei paced creision'."
"Y ddwy gath," medd Miss. "Nid 'y dau cath'."

Dim ond dechrau ydi hynny.
'y-gynffon' yn 'fyny';
'u-bedol' yn 'synnu'.
Mae'n anodd gwenu wrth sgwennu.

Ond wrth feddwl am fethu gwenu,
dwi'n meddwl am wên o glust i glust,
am wên y gath yn y piser lla'th,
am wenu fel giât –
a dwi'n gweld llidiart yn gorwedd
y tu ôl i ddwy res o ddannedd.

A dyna pryd y clywaf yr hud,
a bydd yn hawdd gwenu wrth sgwennu.

Moddion cas

Slefr y falwen ar ddeilen letys,
Gwaed y cynrhon sy'n bwyta'r betys,
Y blew sy'n tyfu ar gaws gafr hynafol
A phoer y gog oddi ar ddail tafol,
Colyn cacwn a gwenwyn neidar,
Hen lygod mawr wedi'u stiwio mewn seidar,
Y sudd ar ôl stwnsho deg pry cop,
Treiffl trychfilod wedi mynd yn fflop,
Jeli-ffish cyfan wedi'i licwideiddio,
Llygad llyffant wedi heneiddio,
Dagrau crocodeil wedi oeri'n felyn,
A'r slwtsh ar y ffordd y bore wedyn
A ges fore Llun yn foddion ar lwy
Pan drawyd fi'n sydyn gan ryw glwy.

Un dos arall o sleim llysywan?
Dwi'n barod am yr ysgol rŵan!

Ti'n troi i fod yr hyn ti'n gnoi

Tair awr drwy bentrefi llwm,
Boliau gwag yn gwneud sŵn drwm:
Bwr-lẃm, bwr-lẃm, bwr-lẃm, bwr-lẃm;
Pawb yn cytuno ein bod ni'n stopio
Yn y lle nesa am damaid o ginio.

Dacw fwyd ar y gorwel, clamp o gwt coch,
Lluniau anferth o wyau a chig moch,
A llythrennau melyn yn dy lygaid yn gweiddi:
"Mae popeth yma yn iymi-iymi –
Os gyrri di heibio, mi rwyt ti'n ddymi . . ."

Mae Dad yn stopio a Mam yn ochneidio,
"O! am fwyd cartre wrth deithio'r lôn.
Sothach a sgrwtsh, dyna gawn ni'n y bôn,
Ond cofiwch: dim nygets, dim byrgyrs,
        dim cibábs troed eliffant –
Does dim yn y rheiny ond esgyrn a braster
        a sgrwtsh wedi'i godi oddi ar balmant.
Dim diodydd ffisi, dim hufen iâ twyrli.
Dim surap stici, na nionod cyrli.
Mae mwy i fwyd na llenwi bol – does dim osgoi:
Ti'n troi i fod yr hyn ti'n gnoi."

Pan ddaw'r llanc efo'r papur a phensel at y bwrdd
Mae llygaid Mam a'i lygaid yntau yn cwrdd.
"Gan ba gigydd lleol y prynwch eich sosejys?
Ai cig cant y cant sy'n eich boloneisys?
Ydi'ch pizzas wedi'u dadmer o'r rhew?
Fydd eich *Chef's Specials* yn ein gwneud yn dew?
Oes 'na siwgwr yn eich sudd?
Oes 'na ychwanegion cudd?"

Taten bob i bawb ydi diwedd y gân
Ac mi fwytwn ni'r croen a'r cyfan yn lân.
A dyma'r llanc yn dweud, "Wel, am blant ffantastig!
Am fwyta'r cyfan, mae 'na wobr arbennig –
Ewch at y bwced a llenwch eich pocedi,
Lolipops, ffrŵt-drops, creision, bisgedi . . .''

Tawel yw'r car wrth ailddechrau teithio,
Heblaw am sŵn llyfu a chrensian a sugno,
Mae lliwiau rhyfeddol i'w gweld ar bob tafod
A'r plantos yn troi'n lolipops yn barod!

Be wnest ti yn yr ysgol heddiw?

Ymm . . .
Gest ti hwyl ar dy symiau?
Bore oedd hynny!
Fuoch chi'n sgwennu?
M . . . mae'n siŵr . . .
Am be?
Dwi ddim mor siŵr . . .
Ddaeth 'na rywun i'ch gweld i'r ysgol heddiw?
Dwi ddim yn meddwl.
Be gest ti i ginio?
Be ges i hefyd?
Ydi dy lyfr darllen gen ti'n saff?
Yndi.
Lle mae o?
Yn fy mag i.

Lle mae hwnnw?

Dwi wedi'i adael o yn yr ysgol.

Oes gen ti ddim gwaith cartref?

Dydi o ddim fod i mewn tan ddydd Llun.

Gawsoch chi Hanes, Daearyddiaeth, Gwyddoniaeth heddiw?

Dydi'r rheina ddim yn canu cloch.

Wel, be oedd y wers olaf un, 'ta?

O! Mae hi ar flaen fy nhafod i! O!

Fuoch chi'n paentio?

Ymm . . .

Fuoch chi'n canu?

Ymm . . .

Fuoch chi'n sillafu?

O! Dwi'n cofio rŵan!

Be?

Mi gawson ni tships i ginio.

Y drws sy'n 'cau cau

Oes gan dy gefnder gynffon?
Wyt ti'n perthyn i deulu'r ŵyn?
Oes gan dy daid ar ochr dy dad
Fodrwy yn ei drwyn?
A fydd dy fodryb yn brefu?
Oes cyrn ar ben dy fam?
Ydi cerddediad dy frawd a dy chwaer
Fel clopian pedolau bob cam?
A fydd dy dad yn sefyll
Yn noeth yng nghanol y glaw?
A yw dy nain yn yfed o'r nant
Ac yn rowlio mewn mwd a baw?

Os "Na" ydi'r ateb, mae'n amlwg
Na chest ti dy fagu mewn cae.
Pam felly, bob tro yr ei drwyddo,
Fod y drws yn 'cau cau?

Mae hwn wedi dwyn y trên eto!

Help! Gwnewch rywbeth, rhywun!
Dwi isio'r trên yn ôl!
Mae hwn wedi'i fachu eto . . .
a'r lein . . . *a'r* bocs contrôl!

Mae'n clymu'r cledrau i'w gilydd
a chodi pontydd tal,
gosod gorsafoedd drwy'r gegin
a thwneli, o wal i wal.

Mae'n cau y drws a'i folltio
rhag 'mod i'n drysu'i gêm,
a gwneud sŵn pwffian, tshwffian
ar ei fol, fel injan stêm.

Mae'n gwichian ei freciau weithiau,
chwifio baner goch,
ffarwelio â phob platfform
ag un chwibaniad groch.

O help! Gwnewch rywbeth, rhywun,
i roi 'nhrên yn ôl i mi.
Dwedwch wrth hwn am dyfu fyny:
Taid bach, ti'n naw deg tri!

Y ras gyfnewid

Roedd cychwyn y ras braidd yn simsan:
Heb glywed y "Ffwrdd-â-chi!"
Mi safodd ein Sali fel delw,
A'r lleill aeth ar wib hebddi hi.

Mi ddeffrodd 'rhen Sali cyn hir
A rhedeg tuag at Manon.
Ond roedd hithau ar gymaint o frys:
Mi saethodd i ffwrdd heb y baton.

Ac erbyn trosglwyddo i'r trydydd
Aeth pethau'n fwy sobor na chynt,
Oherwydd y cyffro, cyn cychwyn –
Roedd Gwen wedi colli ei gwynt.

Y fi oedd yr olaf i rasio,
Mi geisiais eu pasio i gyd:
Fy nghoesau yn troi fel dwy olwyn
Ond baglais yn slwtsh ar fy hyd.

Roedd tîm yr enillwyr yn dathlu
A'r ail yn rhoi sgrech dros bob man,
A Sali, Gwen, Manon a minnau
Yn chwerthin nes oeddan ni'n wan!

Swadan i'r chwadan

Na! Na!
Dwi ddim isio mynd i mewn!
Mae'r bath mor beryglus,
A'r sebon mor echrydus.
Mi gicia' i fy nghoesau yn eich wynebau
A rhoi swadan i'r chwadan.

Wel, dyna ni,
Does dim bai arna' i.
Mi wnes i'ch rhybuddio
Ond does neb byth yn gwrando.
Os ydach chi'n siŵr
Eich bod am fy rhoi yn y dŵr,
Peidiwch â 'meio
Am y sgrechian a'r strancio.

WA! WA!
Ww. Wwwwwww . . .
W, mae'n reit braf yn y bybyls.
Dwi'n dechrau cael gigyls . . .

Cael cicio fy nghoesau,
Cynhyrfu'r tonnau,
Mynd â'r cychod ar ras,
Darllen stori wlyb, las,
Rhoi fy nghyrls dan y swigod
A byw efo'r pysgod;
Na! Na!
Dwi ddim isio dod o'ma!

Wel, dyna ni,
Does dim bai arna' i.
Mi wnes i'ch rhybuddio
Ond does neb byth yn gwrando.
Os ydach hi'n mynnu
Fy nghodi i fyny,
Peidiwch â 'meio
Am y sgrechian a'r strancio.

Y chi, nid y fi
Sy'n gwneud pwdin o'r dolffin,
Yn taflu'r crocodeil mawr i ganol y llawr
A rhoi swadan i'r chwadan.

DWI DDIM ISIO DOD O'MA!
NA! NA!

Fideo'r hogan fach

Gorwedd ar soffa
yn nhraed fy sana
ar ôl cau'r drws ar y tŷ a'i strach;
gafael am glustog
feddal, flewog,
a gwylio fideo'r hogan fach.

O ble daeth glesni
y llygaid rheini
sy'n gwenu o ganol y cotwm gwyn?
A pham mae rhai geiriau,
fel hen deganau,
wedi diflannu erbyn hyn?

Bath o swigod
a choesau llyffantod
a sŵn y chwerthin yn sblashys i gyd;
y camau cyntaf
yn ofalus, araf,
a'r wên yn lledu gorwelion y byd.

Cadair uchel
yn y gornel
ac wyneb iogyrt o foch i foch;
dysgu cyfri,
canu hwiangerddi,
gwrando ar stori yr 'Hugan Fach Goch'.

Y beic bach melyn
a'r tegan pengwin –
dwi ddim yn chwarae â'r rheiny'n awr.
Y trowsus blodau
a'r pyjamas clustiau –
maen nhw'n rhy fach neu dwi'n rhy fawr.

Mam yn fy siglo,
Dad yn fy nhiclo,
brodyr mawr yn rhoi 'o-bach';
da oedd hynny –
mi hoffwn dyfu
yn ôl i fod yn hogan fach.

Paid â rhoi crisps i'r cangarŵ

(Rhybudd gan dad i'w fab yn y sw)

Paid â rhoi Kit Kat i'r caribŵ –
Mi aiff o'n haipyractif, meddan nhw,

Na darn o siocled i sebras y sw
Rhag iti ddifetha eu dannedd nhw.

Paid â rhoi King Côn i'r cocatŵ,
Neu mi gei di halibalŵ.

Paid â rhoi gwm i'w gnoi i'r gnŵ –
Aiff yn sownd yn ei wddw, ar fy llw.

Paid â rhoi crisps i'r cangarŵ –
Mae 'na ormod o *Ees* ynddyn nhw,

Na phopcorn i'r pelican, nefi blw,
Neu mi fydd 'ma how-di-dw.

A phaid â mwydro am weld mwnci na macaw,
A bydd di ddistaw pan dwi'n deud, "Taw!"

Paid â holi o hyd am y llew, y llew
Na chydio'n fy shorts a phinsio 'mlew.

Yli, dos i'r ciosg i brynu gwm,
King Côn a phopcorn, bar o siocled trwm,

A stwffia lond dy geg a llond dy fol
I mi gael llonydd gennyt ti a dy lol.

Beth oedd enw aderyn y to cyn bod 'na dai?

Beth oedd enw Aberhosan
cyn cael gwlân i'w gweu?
Beth oedd enw Llyn y Gadair
cyn cael saer i'w chreu?
Sut mae mynd i Gaerdydd
a hithau yn nosi?
Sut mae gweld Craig-y-nos
pan fydd yr haul yn llosgi?

Lle roedd Brynrhydyrarian
pan oedd y lle'n dlawd?
Beth oedd enw'r Glais
cyn iddo frifo ei gnawd?
Sut le ydi Aberystwyth
pan fydd wedi stiffio?
Sut gelwid Castell Coch
cyn cael ei beintio?

Beth oedd enw Felin-foel
pan oedd ganddi wallt?
Ac enw'r Felinheli
cyn bod y môr yn hallt?
Beth oedd enw Beddau
pan oedd pobol yn y plwy?
Beth gelwid pentref Llai
pe bai'r lle yn fwy?

Ac anos na'r cyfan
Yw gwybod, medd rhai,
Enw aderyn y to
Cyn bod yna dai.

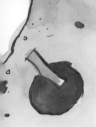

Wyau mewn omled?

Be? Wyau 'dan ni'n cael i ginio?
Ond dwi ddim yn licio wy!
Mae'r oglau'n codi pwys arna i
Pan wthiaf drwy'r plisgyn fy llwy.
Mae'r stwff gwyn mor anodd ei dreulio,
Fel rwber yn mynd rownd a rownd,
A'r melyn yn feddal bob amser
Yn hongian i'w gilydd yn sownd
A llithro fel malwen ddiafael
I lawr fy ngwddw'n un darn.
Wy wedi'i ferwi? Dim diolch –
Dyna yn sicr yw 'marn,
'Dyw wy wedi'i ffrio ddim callach –
Yn slefran ar draws yr holl blât,
Ei dop o ddim wedi'i goginio
A'i waelod cyn dded â grât.
Mae wy wedi'i bôtsio yn ddyfrllyd,
Yn suddo yn sogi drwy 'nhost . . .

Ond pan fydd 'na awgrym o omled,
Mi fyddaf yn wirion bost
Yn torri yr ham a'r tomatos,
Yn hwylio y bwrdd at y pryd,
Yn agor poteli o sôsys
A disgwyl yn wên i gyd
Am blatiad o grimpyn melyn
A deud 'mod i awydd cael mwy . . .

Be? Oes 'na wyau mewn omled?
Ond dwi ddim yn licio wy . . .

Un bach mewn ciw mawr

Dwi'n toddi'n gyflym dan haul yr ha'
yng nghiw y Steddfod am hufen iâ.

Mae pishyn punt yn llosgi'n fy llaw
ond dyn y stondin sy'n edrych draw

a 'mestyn clamp o ddwbwl fanila
i ddwylath flewog a hyll o gorila.

Caiff dynes drom dan drimings rosét
gornet mefus cymaint â'i het.

Yna, mae sbectol haul a throwsus cwta
yn gweiddi o'r cefn mewn llais digon swta

ei archeb anferth i'r teulu i gyd.
Dwi'n blentyn, yn fyr, yn neb yn y byd

heb fedru cyrraedd y cownter yn iawn;
dwi yma bellach ers hanner y pnawn . . .
. . . a fflamio! Dyma barti cerdd dant
yn gael ugain rhyngddynt – sôn am chwant!

Mae'r dyn o'r diwedd yn gweld fy mhunt
wedi i weddill y ciw fynd efo'r gwynt.

"Choc-mint efo fflêc, 'sgwelwch yn dda."
"Sorri, bach – 'sdim mwy o hufen iâ."

Tadau tracsiwt

Gwaeth na mamau cerdd dant
am dynnu stumiau ar blant
ydi tadau tracsiwt.

Cynnar a phwysig ar gae
yn trafod tactegau y mae
tadau tracsiwt;
newid i dreinyrs a fflîs,
hel boliau tew dipyn is,
'mestyn y fideo o'i ges,
sefyll fel pengwins mewn rhes;
gwisgo cap bêsbol bob tro
a *Coach* yn fawr arno fo:
dyna'r tadau tracsiwt.

Gweiddi ar y tîm cyn y gêm,
dyrnu eu dwylo, mynd i stêm,
pwyntio a siarsio pob un
i chwarae a thaclo fel dyn;
jogio efo'r criw rownd y maes
nes chwysu a thuchan yn llaes
y mae'r tadau tracsiwt.
A phan fydd y miri yn dechrau
a'r tîm yn ein herbyn fel tanciau,
a chawr wedi torri drwy'r canol
gan sgorio cais sydyn, syfrdanol,
o'r ystlys fe glywir y gri:
"Nid fel'na y dysgon ni chi!

Dewch, fechgyn, codwch fy nhgalon!
Pasiwch y bêl 'na, y cnafon!
Hei! Emrys – pen 'lawr a gwthia!
A Robin – be ti'n 'da'n fan'na?"
Sgrechwyr yn nannedd pob strach
a dyrnwyr yr awyr iach
ydi tadau tracsiwt.

Ar ôl rhoi llond ceg i'n tîm ni,
Mi ddaw hi yn dro'r reffarî:
"Hei reff! Rho'r job i dy fam!
Pas 'mlaen! Off-seid! Pêl yn gam!
Mae'u tîm nhw'n hŷn na'n tîm ni!
Ti'n ddall a ti'n ddwl! REFF-AR-ÎÎÎÎÎÎÎÎ!"
yw sgrech y tadau tracsiwt.

Yna, wrth gerdded o'r cae,
siarad â'i gilydd y mae'r
tadau tracsiwt:
"Jyst gêm 'di. Mae cweir yn gwneud lles.
Bydd plethiad y tîm llawer nes.
Mae chwarae i ennill yn bla –
rhaid dysgu bod yn gollwyr da,"
medd y tadau tracsiwt.

Fedr fy nghariad ddim dal pêl

"Dwylo gollwng sydd gan dy gariad!
Bodiau ffish ffingars!
Bachau byns!
Dwylo gollwng sydd gan dy gariad!"

Ac maen nhw'n dweud y gwir –
dwylo gollwng sydd gan fy nghariad ym mhob gêm.

Rygbi . . .
Rydan ni'n cyfarth ar eu llinell nhw . . .
Daw'r bêl o law i law . . .
Bwlch yn agor . . .
Un bàs arall . . .
      "OOOO!
      Bysedd saim sglods!
      Bachau shampŵ!
      Dwylo gollwng sydd gan dy gariad."

Rownderi . . .
Dim ond un o'u tîm nhw sydd ar ôl . . .
Bowlio'r bêl . . .
Clec uchel . . .
Dal hi, ac mi fydd allan . . .
      "OOOO!
      Bodiau bath bybyls!
      Bysedd jel gwallt!
      Dwylo gollwng sydd gan dy gariad!"

Dydyn nhw ddim eisiau fy nghariad yn eu tîm
oherwydd y buchau grifft llyffant,
y bodiau bananas,
ond does dim ots gen i
am y dwylo gollwng a'r galw enwau.

Rydw i'n deall y broblem,
yn gwybod pam y mae'n gollwng pob pêl.

Mae'r ateb yn syml:
am nad yw llygad fy nghariad arni.
Yn lle dilyn y bêl,
mae llygaid fy nghariad yn dal fy llygaid i,
a llawer gwell na dwylo-dal-pêl gan gariad
ydi llygaid-dal-llygaid.

Byrgyr brên

"Marchnatwyr!
Maen nhw'n meddwl," meddai Dad,
"y medran nhw farchnata pob dim heddiw.
Digon o ddweud yr un dweud
ac mae'r job wedi'i gwneud."

"Maen NHW'n meddwl," meddai Dad,
"mai NHW piau'n meddyliau
am mai NHW sy'n prynu'r eiliadau ar y teledu,
ac yn meddiannu'r waliau gyda'u posteri
ac yn stwffio i mewn i'n siopau gyda'u bargeinion,
Dyna be maen NHW'n ei feddwl."

Ac yna, un noson o Ionawr,
ar droad canrif,
ar sbin y mileniwm,
dyma whisgiwr hysbysebion
yn sgramblo ein brêns gyda'i neges:

"SÊL Y NY BYRGYR BAR;
Chwartar pwysan
am bris bynsan."

Wyt Ionawr yn dlawd a'th bocedi yn dynn
A fawr neb yn gwario ar y stryd erbyn hyn.
Mae'r siopau yn dawel, dim arian ar ôl
A'r stondin bîffbyrgyrs ar ei phen-ôl . . .

"Sut beth yw sêl byrgyrs 'ys gwn i?"
meddyliais yn duwel wrthyf fy hun.
"Letys o'r ganrif o'r blaen?
Gwagio'r rhewgell i'r gwaelod –
A chael gwared ar y briwgig mamoth?
Sleisen o gaws Rhufeinig?

Bara wedi para ac yma o hyd
yn sych fel polisteirin, yn gardbord i gyd?"
"Gallwch archebu un dros y We
– caniatewch ddau fis ar gyfer postio, ocê?"

Ond o'r gadair yn y gornel,
dyma Dad yn dweud yn uchel:
"Mmmm! Mae hwnnw'n swnio'n dda.
Beth amdani ar ôl y gêm ddydd Sadwrn?"

Tro gwael ar yr A470

Be wela i efo fy llygaid bach i
ond rhywbeth yn dechrau efo 'T'.
Tro. Mynd am dro.
Tro yn y tarmac.
Cwm cam, afon ddolennog, llwybrau sgriw.
Tro ar ôl tro
a thro unwaith eto.
Pendro a boldro drachefn a thrachefn.
Dyna ydi tro yn y sêt gefn.

"Fyddan ni'n hir eto?"
"O le i le ydi dwy awr?"
"Be ydi enw'r pentrefi cyn y byddwn ni'n cyrraedd?"
"Hon ydi'r ffordd gyflymaf?"

Ac o'r tu blaen,
daw ateb clir a siarad plaen:
"Hon ydi hi. Mwynhewch yr olygfa.
Mwynhewch y caeau gwyrdd,
y coed a'r blodau fyrdd . . ."

"'Dan ni wedi bod tu ôl i'r garafán yma ers oriau."
"Pryd 'dan ni'n cael stopio?"
"Allwn ni ddim mynd yn gynt?"
"Gawn ni stori?"

"Dwi ddim yn licio'r CD yma."

"Hei, dos â dy benelin o fan'na!"

"Pryd ga' i eistedd wrth y ffenest?"

"Mae'r gwres yn mynd i fyny 'nhrwyn i."

"Dwi'n oer."

"Paid â chwythu arna' i, ti'n dwyn fy ngwynt i."

"Gawn ni fferan, os gwelwch yn dda?"

"Pam wyt ti'n tynnu tafod fel 'na?"

"Mae hi'n pigo'i thrwyn rŵan."

"Dwi isio diod."

"Dwi isio pi-pi."

Ac o'r sêt flaen,
rhagor o siarad plaen:
"Reit, dyna ddigon. Dim mwy o lol,
neu mi fydda i'n stopio'r car.
'Dach chi'n lwcus ofnadwy eich bod yn cael gweld y wlad.
Mae 'na rai plant nad ydyn nhw byth yn cael tro . . ."

Tawelwch.
Tangnefedd.
Tro arall.

"Dwi'n teimlo'n sâ-â-âl . . ."

Problemau bach

Mae Dad yn chwerthin wrth stopio'r car
A gweld fod 'na byncjar bach;
Aiff allan i'w newid yn y glaw –
Yn falch o gael awyr iach!

Mae Mam yn gwenu wrth agor drws
Y popty cyn te prynhawn;
Wrth weld y dorth yn golsyn du
Mae'n dweud bod ei gwaelod hi'n iawn!

Mae Musus Huws, ein hathrawes ni,
Yn giglo wrthi ei hun
Pan gollaf baent dros Asesiad y Sir –
Gan ddweud 'bod hi'n hoffi'r llun!

Mae Dewyrth Dei yn gweiddi "Hwrê!"
Pan mae'r bêl yn chwalu'i dŷ gwydyr
Gan ddiolch na fydd dim rhaid iddo'n awr
Lanhau'r ffenestri budur.

Y rhai sy'n gweld y golau gwyn
Er bod hi'n nos o'n cwmpas ni,
Na wnân nhw sŵn mawr am broblemau bach –
Y nhw yw fy arwyr i.

Wyt ti'n un o'n teulu ni?

Fuost ti rioed yn fwnci bach
Yn bwyta syltanas yn syth o'r sach?
Yn dringo'r cotiau sydd ar gefn y drws?
A thynnu wynebau, yn lle edrych yn dlws?

Fuost ti rioed yn fochyn pinc
Yn gwichian wrth gael dy folchi mewn sinc?
Yn rowlio mewn mwd yn dy ddillad glân?
A gorwedd yn noeth o flaen y tân?

Fuost ti rioed yn bilipala
Yn dawnsio'n yr haul ar y goeden 'fala?
Yn gwisgo blodau a throi'r byd yn ardd?
A sibrwd wrth rosyn ei fod o yn fardd?

Fuost ti rioed yn grocodeil
Yn taeru bod broga'n gwneud cinio gwerth chweil?
Yn gorwedd mewn bath yn fybyls at dy ên?
A dangos dy ddannedd ar bobol glên?

Os na fuost ti'n grocodeil, yn bilipala chwaith,
Na mochyn, na mwnci ar dy daith,
Yna, fy ffrind, mae'n ddrwg gen i,
Dwyt ti'n perthyn dim i'n teulu ni.

Dwi'm isio adrodd na llefaru

Dwi'm isio dal fy mhen yn gam
Fel 'tai o'n sownd mewn potyn jam.

Dwi'm isio gwneud rhyw lygaid llo
Na cheg cwningen wrth ddweud "O!"

Dwi'm isio troi un glust yn ôl
Na nodio 'nhalcen heb gontrôl,
Na bloeddio fel 'tawn i isio bwyd
Na sgriwio 'nhrwyn fel wiwer lwyd.

Mae tynnu stumiau'n ddiawch o strach:
Weithiau yn 'FAWR' ac yna yn 'fach';
Weithiau'n drist fel sbaniel brown
Ac yna'n boncyrs 'run fath â chlown.

Dwi'm isio mynd fel dwn–im–be
Wrth weiddi "Dacw!" dros y lle,
Na gwneud y saib henffasiwn gynt
Gan ddweud, "Ac wedyn …" (yna gwynt).
Dwi'm isio sefyll fel pengwin syth
Na fflapio fel cyw yn gadael nyth
Na thynnu wyneb tsimpansî
Bob yn ail gair a ddweda i.

Dwi'm isio crib drwy 'ngwallt i chwaith,
Na bod mewn rhagbrawf erbyn saith.

Adrodd neu lefaru, beth bynnag y bo,
Dwi'm isio gwneud, a dyna fo.

Canlyniadau Cynghrair Cymru

Castell-nedd 3

Llanelli 4

Prestatyn 6

TNS 1

Port Talbot 0

Airbus Hwlffordd 8

Caerfyrddin 1

Y Drenewydd 217

Aberystwyth 9

Y Bala 9

Bangor 2

Tre 7

Chwarter i 6

Blwyddyn 5

Tra bo 2

Dydi-o-ddim-yn 10

Blêr-ar-y 9

I'r 0

Emyn 288

Dwi-bron-yn 8

Araf 10

Lle 6